D0755056

Les lunettes de Lulu

Données de catalogage avant publication (Canada)

Stanké, Claudie

    Les lunettes de Lulu

    Pour les jeunes.

    ISBN 2-89558-009-X

    I.Titre

    PS8587.T322J47 2000   JC843'.54   C00-940745-6
    PS9587.T322J47 2000
    PZ23.S72Je 2000

© 2000 Les Éditions Alexandre Stanké inc.
Infographie : Kiaï Studio
Illustrations : Claudie Stanké

Dépôt légal : deuxième trimestre 2000
Participation *SODEC*

IMPRIMÉ AU QUÉBEC (CANADA)

Les Éditions Alexandre Stanké inc.
5400, rue Louis-Badaillac
Carignan (Québec)
J3L 4A7 CANADA
Tél. : (450) 447-6114 Fax : (450) 658-1377
C5400@aol.com

Claudie Stanké

Les lunettes de Lulu

Collection Jeunesse

Alexandre Stanké

À Jean

1

Une drôle de boutique...

J'habite une petite rue, et au bout de cette rue il y a une boutique, une boutique si vieille qu'on dirait une maison hantée. L'automne dernier quand les volets claquaient au vent, il me fallait tout mon courage pour passer devant sans courir.

Je n'y étais jamais entrée jusqu'au jour où j'ai aperçu dans la vitrine un petit chat gris qui dormait dans une boîte à chapeaux.

Le lendemain, je suis retournée le voir, puis les jours suivants. Il dormait toujours mais une fois, je l'ai vu sortir de sa boîte et jouer avec des colliers entremêlés.

Il était drôle avec sa petite langue rose et ses longues moustaches. Quand il me voyait, il s'arrêtait de jouer et il me regardait en penchant la tête de droite à gauche, comme s'il voulait être sûr que c'était bien moi.

À force de m'arrêter pour voir Grisouille, c'est comme ça que j'appelais le chat de la vitrine, la boutique ne me faisait plus peur. J'ai donc décidé d'y entrer.

Quand j'ai ouvert la porte, j'ai entendu le tintement d'une petite clochette. Je me suis alors avancée vers le fond du magasin. Il y en avait des choses dans cette boutique-là... des chandeliers, des épées, des bateaux dans des bouteilles... Je ne savais plus où poser mes yeux.
C'était extraordinaire !

Enfin, moi je trouvais ça génial, mais je suis certaine que ma mère aurait trouvé que c'était en désordre.

Ce qui était bizarre, c'est qu'il n'y avait aucun prix d'écrit nulle part... Ça voulait dire que chaque fois que quelque chose nous intéressait, il fallait demander combien ça coûtait. Pour quelqu'un de timide, ce n'est pas rigolo. Et moi je suis timide... C'est vrai, chaque fois que je pose une question, je deviens rouge comme une tomate. C'est Camille qui me l'a dit. Camille, c'est ma meilleure amie. Je ne me vois peut-être pas rougir mais, quand ça m'arrive, je sens mon visage devenir tout chaud. C'est comme si j'attrapais un coup de soleil comme ça, juste avec des mots. Heureusement, je ne reste pas rouge longtemps, je veux dire, pas toute la journée. Ça dure trente secondes, à peine. Mais quand même, je trouve ça long... De toute façon, je ne voulais pas acheter d'objets, non. Ce que je voulais, c'était Grisouille.

Seulement j'avais beau chercher, il n'y avait personne à qui parler dans cette boutique. Et mis à part le tic-tac d'une vieille horloge qui n'avait même plus d'aiguilles, on n'entendait aucun bruit.

Et tout à coup, j'ai senti quelque chose sur ma jambe. J'ai poussé un cri ; c'était Grisouille. Il était venu se frotter à mes pieds et m'avait fait sursauter... Puis quelqu'un s'est adressé à moi :

— Tu n'aimes pas les chats ?

La voix provenait de derrière un paravent... et une vieille dame est apparue. Elle était toute petite et toute courbée.

C'était comme si elle s'était penchée pour ramasser quelque chose mais qu'elle ne s'était jamais relevée. Elle avait des chaussons brodés de paillettes qui craquetaient à chacun de ses pas. Et quand elle marchait, elle se dandinait comme un lutin. À première vue, je dois dire qu'elle m'a fait un peu peur mais, en vérité, elle était rigolote.

Comme je n'avais pas répondu à sa question, elle m'a redemandé :

— Tu n'aimes pas les chats ?

Je me suis empressée de lui répondre que oui et j'ai ajouté :

— Surtout celui-là... Justement, je voulais savoir... il coûte combien ?

— Il coûte combien ?

C'est alors que la petite dame a fait un grand geste de la main comme si elle voulait chasser tous les nuages du ciel, puis elle a éclaté de rire :

— Ah, ah... mais il... il...

Elle aurait bien voulu parler, mais ses mots restaient prisonniers de sa gorge, étouffés par son rire. Elle riait en me regardant avec ses petits yeux brillants. Il ne m'en fallait pas plus pour que je sente mon visage devenir chaud. Je commençais à rougir... Je ne rêvais que de me sauver, mais voilà que la petite dame s'est arrêtée de rire et m'a dit d'une voix pleine de douceur :

— Mais il n'est pas à vendre, p'tit ange.

— Ah bon...

J'étais si déçue que je me serais mise à pleurer. Ce n'était pas une raison pour pleurer, je sais, mais si j'avais envie de pleurer, c'est parce que dans mon cœur il y avait déjà un peu de tristesse, alors ça faisait de la tristesse en plus...

C'est vrai, à l'école ça n'allait pas vraiment, c'était une nouvelle école et je ne l'aimais pas et puis à la maison, ce n'était pas drôle non plus. Je veux dire que depuis la naissance de mon petit frère, Antoine, on aurait dit que, pour mes parents, il n'y avait que lui qui comptait. C'était toujours lui qui passait en premier.

— Tu l'aimes ce chat ?

La petite dame m'avait parlé, mais je ne l'avais pas entendue parce que j'étais dans ma tête et dans ma tête il faisait gris, il y avait trop de nuages. Elle a dû répéter encore une fois :

— Tu l'aimes ce chat ?

— Oh oui !

Sans attendre, elle s'est alors penchée pour attraper Grisouille et elle me l'a tendu :

—Tiens, on va dire qu'il est à toi. Il est à toi mais sa maison est ici, d'accord ? C'est parce qu'il aime son petit coin.

De son doigt, elle désignait la vitrine avec la boîte à chapeaux.

—Tu comprends ?

—Hum, hum...

Je ne la regardais plus, je n'avais d'yeux que pour Grisouille qui me mordillait les doigts.

—Il va falloir que tu lui trouves un nom.

—Oh, j'en ai déjà un : Grisouille.

—Parfait !... mais ce n'est pas tout d'avoir un chat, il faut s'en occuper. Allez p'tit ange, suis-moi !

2

Une jolie paire de lunettes...

Sans plus attendre, elle s'est dirigée vers un bureau en bois sur lequel étaient entassés de vieux livres et de petites statuettes à tête de diable.

Je l'ai suivie avec Grisouille qui me léchait la main de sa langue râpeuse.

Une fois assise à son bureau, la petite dame m'a demandé mon nom d'un air très sérieux :

— Et comment t'appelles-tu ?

— Luce, mais tout le monde m'appelle Lulu.

— Je vois...

— Et vous, comment vous vous appelez ?

— Mandoline.

— Mandoline ?...

C'était la première fois que j'entendais ce nom-là... enfin je veux dire, pour une personne.

Sans rien dire, Mandoline a ouvert un tiroir et en a sorti une drôle de brosse, avec des dents en métal.

— Tiens, c'est la brosse de ton chat. Chaque fois que tu viendras, tu le brosseras, ensuite tu remettras la brosse dans ce tiroir-là parce qu'ici, si on laisse traîner les choses, on ne les retrouve pas, tu comprends ?

Pour sûr que je comprenais, pas besoin de me faire un dessin, parce qu'avec un désordre pareil, je me doutais bien que si on perdait quelque chose, c'était pour toujours.

C'est alors que j'ai commencé à brosser Grisouille. Ce n'était pas très facile parce qu'il n'arrêtait pas de jouer avec le manche de la brosse. Il essayait de le prendre avec ses pattes et de le croquer.

Quand j'ai eu terminé, j'ai rangé la brosse à sa place, comme me l'avait demandé Mandoline, et juste avant de refermer le tiroir, j'ai vu une jolie paire de lunettes.

— Wouaw ! Elles sont belles vos lunettes.

J'ai toujours rêvé d'avoir des lunettes, seulement j'ai de bons yeux, alors je n'en ai pas besoin. Camille me dit de m'acheter des lunettes de soleil, mais c'est pas pareil. Moi, j'en voudrais pour lire au tableau et pour aller au cinéma... Enfin, j'en voudrais des vraies, quoi... En tout cas, celles-là elles étaient super belles. Je n'avais jamais vu de lunettes pareilles.

Mandoline les a sorties du tiroir comme on sort un trésor, avec précaution.

— Elles te plaisent ?

— Oh oui ! Vous avez de la chance de porter des lunettes, surtout celles-là...

Elle a fait de nouveau un grand geste de la main comme pour chasser tous les nuages du ciel, puis elle a éclaté de rire.

— Oh, je ne les porte plus ! Je n'en ai plus besoin.

— Ah bon ?

Moi qui pensais qu'on avait besoin de lunettes quand on était vieux... Surtout à l'âge de Mandoline, parce que Mandoline, elle est vraiment vieille. Elle ne m'a pas dit son âge, mais il n'y avait qu'à voir son visage, il était tout plissé comme une boule de papier froissé.

De ses petites mains tremblantes, Mandoline a rangé ses lunettes dans un étui et me l'a tendu :

— Elles sont à toi, je te les donne.

— Mais non, je...

Mandoline ne m'a pas laissé continuer ma phrase. Elle s'est approchée de moi, elle a pris Grisouille dans ses bras et l'a posé par terre en lui disant :

— Allez, va te promener, j'ai à parler à Lulu.

Puis, elle m'a regardée, comme personne ne m'avait jamais regardée. Il y avait dans son regard une drôle de lumière. C'était comme si ses yeux brillaient juste pour moi. Ensuite, elle a déposé l'étui dans mes mains, elle a posé ses mains sur les miennes et elle m'a confié un secret :

— Ces lunettes sont magiques. Elles t'ont choisie, p'tit ange. Je te les confie. Mais le jour où tu n'en auras plus besoin, promets-moi de me les rapporter. Et ce jour-là, même si je ne suis plus de ce monde, surtout ne les garde pas pour toi. Laisse-les continuer leur voyage...
C'est promis ?

Même si je n'avais pas compris tout ce que me disait Mandoline, je savais au moins une chose : ces lunettes-là étaient vraiment précieuses. Je lui ai fait un signe de la tête pour lui confirmer que je tiendrais ma promesse.

Mais à l'idée qu'un jour, je revienne et trouve la porte de Mandoline fermée pour toujours, un drôle de courant d'air a traversé mon cœur. Un courant d'air avec à l'intérieur des gouttelettes de tristesse. Des gouttelettes qui se sentaient si seules qu'elles se collaient les unes aux autres pour se tenir chaud.

Mandoline a alors passé sa main sur ma tête, puis elle m'a dit d'une voix fragile :

— Ne t'inquiète pas, p'tit ange, je ne te laisserai jamais tomber. Car quand je ne serai plus de ce monde, quand ma vieille enveloppe sera enfouie sous la terre humide, je continuerai de vivre. Oui, je danserai avec le vent, je brillerai avec les étoiles, je glisserai avec l'eau des rivières... et je serai dans chaque fleur qui s'ouvre au printemps.

Je voulais bien croire ce que me disait Mandoline mais, en vérité, je préférais qu'elle soit là, quand j'allais revenir, je veux dire qu'elle soit dans sa boutique. Parce que même si je la voyais pour la première fois, je l'aimais déjà. Et puis ces lunettes-là, c'étaient quand même ses lunettes à elle.

À propos des lunettes, il y avait tout de même une chose qui m'intriguait : je me demandais bien ce qu'elles pouvaient avoir de magique... J'ai donc posé la question à Mandoline, mais sa réponse ne m'a rien appris de plus.

— Porte-les et tu verras.

— Est-ce qu'il faut que je les porte tout le temps ?

— Non, mais si tu peux, essaie de les porter un petit peu chaque jour.

En disant ces mots, elle m'avait entraînée vers la sortie :

— Allez, va maintenant, je dois fermer la boutique... Tu sais, mes vieilles jambes ne sont pas très fortes, elles ne me soutiennent plus. Je dois me reposer.

Avant de refermer la porte, Mandoline m'a tapoté l'épaule en me disant de passer le lendemain, si je voulais :

— On t'attendra, Grisouille et moi.

Puis elle m'a fait un clin d'œil en regardant l'étui à lunettes que je tenais précieusement dans mes mains et elle a mis son doigt devant sa bouche :

— Chut !...

À mon tour, je lui ai fait un clin d'œil et, sans un mot, je suis partie avec notre secret.

3

Ma mère était bizarre...

J'avoue que j'avais un peu peur de mettre mes lunettes. C'est vrai, j'avais peur qu'une fois sur mon nez, je commence à voir la tête des gens se transformer ou un truc dans le genre. Non, je préférais attendre d'être chez moi pour voir ce que me réservaient ces lunettes-là.

Une fois dans ma chambre, je me suis assise sur mon lit et j'ai mis les lunettes sur le bout de mon nez. Je n'osais pas bouger la tête ni même ouvrir trop grands les yeux... J'attendais tout simplement. J'attendais, mais rien ne se passait... Mon lit n'avait pas changé de place, ma table non plus. Peut-être que ma chambre était un peu plus claire, mais à part ça, rien de magique...

Sur le coup j'étais un peu déçue, mais à bien y penser, je me suis dit que ce n'était pas si grave puisque ces lunettes-là, je les aimais et d'ailleurs je n'en avais jamais vu d'aussi belles.

C'est alors que j'ai décidé de me regarder dans le miroir accroché à la porte de ma chambre.

Quand je me suis vue, je n'ai pas pu m'empêcher de sourire parce que, sans mentir, ces lunettes-là, elles m'allaient vraiment bien.

Moi qui trouvais toujours que mes yeux étaient trop petits et qu'ils manquaient d'éclat, eh bien là, on aurait dit que je les voyais autrement ; je veux dire que mes yeux me paraissaient plus grands et leur couleur plus vive. Et bizarrement, même si je savais que ça n'avait aucun rapport avec mes lunettes, j'avais l'impression que mes cheveux, que je trouvais trop courts, étaient maintenant de la bonne longueur.

Je m'apprêtais à ranger mes lunettes dans leur étui quand ma mère est entrée dans ma chambre. À son regard, j'ai tout de suite compris qu'elle n'était pas contente.

Il faut dire que ce n'était pas la première fois que je rapportais des lunettes à la maison. La dernière paire, je l'avais trouvée au marché aux puces. Je les aimais tellement que, même si en les mettant je n'y voyais pas plus clair, je les portais quand même. Je les portais seulement quand on faisait une fête avec mes copines, mais quand bien même je ne les aurais portées qu'une heure, ma mère était contre l'idée que je mette des lunettes qui n'étaient pas faites pour ma vue. Elle disait que ça finirait par abîmer mes yeux.

— Je crois qu'on en a déjà parlé, Lulu. Allez, donne-moi ces lunettes !

À ce moment-là, il n'y avait pas la moindre trace de sourire sur le visage de ma mère. Et comme elle m'avait déjà confisqué mes autres lunettes, je savais à quoi m'attendre.

Mais j'ai tenu bon et j'ai gardé mes lunettes dans mes mains.

— Lulu...

Ma mère s'impatientait. J'ai donc essayé de lui expliquer que je voyais très bien avec ces lunettes-là et qu'elles ne me faisaient pas mal aux yeux. Mais elle ne voulait rien entendre :

— Tu me donnes ces lunettes tout de suite !

D'un seul mouvement, je les ai cachées derrière mon dos. Le temps de conclure un marché avec ma mère. Rien ne me garantissait que cela allait fonctionner, mais je ne perdais rien à essayer.

— Je vais te les donner, promis. Mais je veux juste que tu les essaies. Après tu me les redonnes, d'accord ?

Pour toute réponse, elle a tendu la main. Je n'avais donc pas d'autre choix que de les lui donner. Elle les a gardées un instant dans sa main, puis, sans un mot, elle les a mises sur le bout de son nez. Elles lui allaient vraiment bien, tellement que je n'ai pas pu m'empêcher de lui dire. Elle s'est alors regardée dans le miroir.

— C'est vrai qu'elles sont belles.

Puis, dans un sourire, elle a ajouté que ce n'étaient pas des verres correcteurs, que cela ne faisait donc pas mal aux yeux.

J'avoue qu'à ce moment-là, j'ai cru qu'elle allait garder les lunettes pour elle. Surtout qu'elle les a laissées sur son nez et qu'elle a commencé à parler d'autre chose !

— Dis donc, elle est bien rangée ta chambre.

Je ne comprenais pas ce qu'elle voulait dire
puisque ma chambre était loin d'être en
ordre. C'est vrai, il y avait des livres et des
papiers de chocolat qui traînaient par terre...

J'ai pensé que c'était peut-être une façon de
me faire comprendre que j'avais encore du
rangement à faire ; alors je me suis empressée
de lui dire que j'allais me mettre à la tâche au
plus vite. Mais ma mère ne m'a même pas
laissé le temps de finir ma phrase. Elle m'a
regardée dans les yeux et elle m'a dit avec un
large sourire :

— Ce n'est pas grave... Tu les lis ces livres ?

— Oui...

— Eh bien, tu les rangeras quand tu auras
   fini de les lire. Et tes chocolats, ils
   étaient bons ?

Je ne voyais pas où elle voulait en venir, alors je lui ai répondu avec hésitation :

— Euh... oui...

— Si tu y penses, garde m'en un la prochaine fois, que je puisse y goûter...

Sans mentir, je trouvais ma mère vraiment bizarre... Ensuite elle m'a embrassée sur le front en me disant que le repas allait être bientôt prêt. Puis elle a enlevé mes lunettes et, avant de quitter ma chambre, elle me les a tendues en me disant que je pouvais les garder.

Ma mère m'avait laissé mes lunettes !... Je n'en revenais pas... J'étais si contente que je les ai tout de suite remises sur le bout de mon nez. Je les ai même gardées pendant tout le repas.

Après avoir mangé, j'ai pris Antoine dans mes bras. Il n'a même pas pleuré, au contraire, il me regardait en me faisant de grands sourires, de grands sourires juste pour moi. C'est alors que je me suis dit que j'avais de la chance d'avoir un petit frère. Même que j'avais hâte qu'il commence à parler et qu'il me raconte tout ce qu'il y avait dans sa tête.

Avec mes lunettes, on aurait dit que je le voyais autrement, je veux dire que... sa peau semblait plus claire et plus douce aussi. Je comprenais pourquoi mon père et ma mère fondaient en le voyant.

4

Du soleil dans ma tête...

e lendemain à l'école, quand j'ai sorti mes
lunettes de mon sac, tout le monde les
trouvait belles et se les passait. J'étais fière
mais quand même, je n'aimais pas qu'elles
circulent comme ça, de main en main, parce
que j'avais peur qu'elles se brisent. Plusieurs
filles ont voulu me les échanger contre des
C.D. ou un sweat-shirt.

Il y en a même une qui voulait me les acheter mais quand bien même elle m'aurait donné tout son argent de poche, je ne voulais pas les vendre.

Ce jour-là, je suis restée plus longtemps à l'école parce qu'en sortant Camille, Simon et moi, on avait décidé de s'asseoir dans la cour et de faire nos devoirs ensemble. J'avais mis mes lunettes et pendant qu'ils cherchaient leurs livres, je regardais les autres élèves qui étaient dans la cour. Certains discutaient, d'autres jouaient au ballon et chaque fois qu'il y en avait un qui s'approchait de nous, il nous faisait un sourire. C'est comme si tout à coup tout le monde avait décidé d'être gentil... Et bizarrement, je ne sais pas pourquoi même ceux que je n'aimais pas vraiment, eh bien ce jour-là, je les aimais bien. C'est comme si je les voyais avec d'autres yeux, comme si je ne voyais en eux que ce qui était beau.

C'est alors que je me suis dit que c'était impossible que tout le monde ait changé en même temps, comme ça, du jour au lendemain... J'ai donc pensé à mes lunettes... et j'ai réalisé qu'avec ces lunettes-là eh bien, je voyais les choses autrement, je voyais le bon côté des choses. C'est vrai, quand je les avais sur le bout du nez, tout me paraissait plus beau et dans mon cœur, il y avait de la musique. C'est comme si ces lunettes-là m'ouvraient les yeux pour qu'il y ait toujours un peu de soleil dans ma tête.

Mandoline avait raison, ses lunettes étaient vraiment magiques et elles faisaient la plus belle des magies ! J'étais tellement contente que j'avais un sourire fendu jusqu'aux oreilles. Simon et Camille se demandaient bien ce que j'avais mais je ne leur ai rien dit. Non, c'était notre secret à Mandoline et à moi.

Seulement, il y avait une chose que je ne comprenais pas... Oui, je me demandais pourquoi tout le monde ne portait pas de lunettes comme ça ? C'est vrai, on aurait tous des visages pleins de lumière, nos cœurs seraient légers comme des ballons. Le noir, le jaune et le blanc deviendraient des couleurs complémentaires. On s'aimerait alors avec nos différences et peut-être... peut-être qu'il n'y aurait plus de guerres.

Toutes ces pensées se promenaient dans ma tête, et sur le chemin du retour elles se sont mises à tourner et à rebondir sans que je sache quoi en faire. J'ai donc décidé de passer voir Mandoline pour qu'elle réponde à mes questions.

Quand je suis arrivée devant le magasin la porte était fermée. J'ai frappé une première fois, puis une autre fois encore mais personne n'est venu ouvrir.

Tout à coup, j'ai repensé à ce que m'avait dit Mandoline. Elle m'avait dit que peut-être un jour, elle ne serait plus dans sa boutique... et que ce jour-là, elle danserait avec le vent. Mais moi, c'est elle que je voulais voir, elle et mon chat Grisouille, alors j'ai rebroussé chemin avec des petits nuages plein la tête.

Je marchais lentement, le cœur humide et chiffonné comme un vieux mouchoir, quand j'ai entendu une voix crier mon nom. C'était Mandoline ! Elle était à la porte de sa boutique et me faisait de grands signes. J'ai couru vers elle, j'étais si contente qu'on aurait dit que je volais.

Quand je suis arrivée près de Mandoline, elle m'a sermonnée un peu :

— Mes jambes sont fatiguées, p'tit ange, il faut me laisser le temps de venir ouvrir.

Puis elle m'a fait entrer dans la boutique :

— Allez entre vite, ton chat t'attend.

Je me suis donc dirigée vers le bureau pour y prendre la brosse du chat et j'ai attrapé Grisouille. Une fois dans mes bras, son petit moteur s'est mis à tourner. Je n'avais jamais entendu un chat ronronner aussi fort.

5

Depuis ce jour-là...

Cet après-midi-là, après avoir brossé Grisouille, j'ai pris un goûter avec Mandoline. Elle m'avait préparé un chocolat chaud et une assiette de biscuits...

Les biscuits, elle les avait achetés juste pour moi parce qu'elle, elle n'en mangeait pas, c'est à cause de ses dents.

Après avoir terminé mon chocolat, j'ai voulu lui poser toutes les questions que j'avais gardées pour elle. Mais à peine avais-je prononcé le mot lunettes que Mandoline a mis son doigt sur sa bouche :

— Chut !

Puis elle m'a dit tout bas, comme si elle voulait que personne d'autre n'entende :

— Il y a des choses qu'on doit découvrir tout seul. Ce sont des choses qu'on ne comprend pas avec sa tête mais avec son cœur. Le cœur parle à ceux qui savent écouter. Il suffit d'être attentif, de tendre l'oreille tout doucement sans faire de bruit...

Sur ces mots, Mandoline a pris mes mains dans les siennes et en m'enveloppant de son regard, elle a ajouté :

— Écoute toujours ton cœur, p'tit ange. Il dit la vérité.

Je n'étais pas sûre d'avoir tout compris ce que m'avait dit Mandoline mais en rentrant chez moi, j'ai répété ses mots, un à un, dans ma tête pour ne pas les oublier.

Quand je suis arrivée à la maison, ma mère était avec Antoine, elle lui racontait une histoire. Je me suis assise avec eux et on a joué ensemble, Antoine ma mère et moi. Pendant qu'on jouait, je pensais que c'était drôlement bien d'avoir un petit frère. Et pour la première fois, ça ne me dérangeait plus, mais plus du tout, que, dans notre famille, on soit quatre au lieu de trois.

Le lendemain matin, je me suis levée en chantant et toute ma journée a été remplie de soleil ; sur chaque visage, je voyais des sourires, tout sentait bon... En sortant de l'école, je me suis dit que j'avais de la chance d'avoir des lunettes magiques, des lunettes qui ouvrent les yeux sur les belles choses... sur les choses qu'on ne voit plus ou qu'on oublie de regarder... C'est alors que j'ai réalisé que mes lunettes n'étaient pas sur mon nez et que je ne les avais pas portées de la journée !

Ça voulait dire que les lunettes de Mandoline m'avaient appris à voir... et que je n'avais plus besoin de les porter ! Je comprenais maintenant pourquoi Mandoline m'avait dit de les lui rapporter quand je n'en aurais plus besoin...

Sans plus tarder, j'ai fouillé dans mon sac à dos pour prendre mes lunettes et je suis allée chez Mandoline. J'ai couru de toutes mes forces. Je courais et je riais en pensant à mes lunettes que je tenais serrées tout contre moi.

Quand Mandoline m'a vue entrer dans la boutique, elle a tout de suite compris. Il faut dire que je rayonnais comme un vrai petit soleil. Sans même dire un mot, elle s'est dirigée vers son bureau, a ouvert le tiroir, d'où elle avait sorti les lunettes la première fois, et sans qu'elle me le demande, j'ai remis les lunettes à leur place. Mandoline a alors refermé le tiroir, puis elle m'a dit d'une voix cristalline :

— Des lunettes comme ça, on en a tous une paire au fond du cœur. Il suffit de les dépoussiérer un peu et d'apprendre à s'en servir, pas vrai p'tit ange ?

Elle m'a fait un clin d'œil et nous avons ri d'un petit rire complice.

Depuis ce jour-là, même s'il fait gris, il y a toujours un petit bonheur qui flotte dans le ciel, un petit bonheur que je peux attraper.

Et les lunettes ?...

Eh bien, un après-midi j'ai vu un garçon sortir de chez Mandoline. En refermant la porte, il s'est empressé de mettre les lunettes sur le bout de son nez. Il a regardé un peu partout autour de lui, puis il a fait une grimace et il est parti en traînant les pieds.

Mais en traversant la rue, il a commencé à siffler. Il a sifflé et moi, j'ai souri. J'ai souri parce que je savais que dans son cœur, il y avait déjà un peu de musique...

Achevé d'imprimé
sur les presses de Transcontinental.
Janvier 2001